P9-EFG-545

Das Original Coca-Cola Kochbuch

Das Original Coca-Cola® Kochbuch

COKE ’n’ Cook!

Warum eigentlich Kochen mit COCA-COLA?
Eigentlich ist es doch Genuss genug, eine eisgekühlte COKE, FANTA oder SPRITE zum Essen zu trinken! Klar, das ist sicherlich ein bewährtes Rezept: erfrischendes Trinkvergnügen und leckeres Essen.
Für alle echten COKE Fans und Fun-Köche – also für alle, die beim Kochen jede Menge Spaß haben wollen und gerne auch am Herd die neuesten Trends ausprobieren – gibt’s jetzt aber auch den ultimativen Kick im Kochtopf: COKE ’n’ Cook!
Ob Salat, Suppe, Fingerfood, Hauptgericht oder Dessert – hier sind jede Menge coole Rezepte, die alle das gewisse Etwas durch die Verwendung von COCA-COLA, FANTA und SPRITE bekommen.
Ob Ihr dann für Freunde, die Familie, die Kollegen oder das supersüße Objekt der Begierde von nebenan den Löffel schwingt – der COKE Spaß ist auf alle Fälle garantiert.
Enjoy! Habt viel Spaß beim Schnibbeln, Rühren, Probieren – und natürlich auch beim Essen!

enjoy! cool people

enjoy! nature

Let's have a party!

Let's go out!

Inhalt

Inhaltsve

enjoy! your job

Fun im Büro

enjoy! your friend

Just the two of us

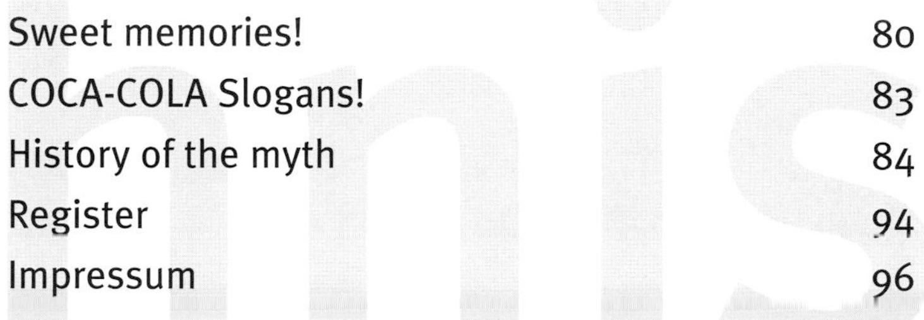

rzeichnis

enjoy! cool people

Let’s have a party!

Spaß ist, was Ihr draus macht!
Das Geheimnis einer guten Party? Ist doch ganz einfach:
gute Freunde, Fun-Food, coole Drinks, heiße Musik
und jede Menge Spontaneität und gute Laune!
Ach ja – und ein netter Hinweis im Hausflur,
dass es etwas länger und lauter werden könnte.
Dann klappt’s auch mit den Nachbarn...

fun-food music ...

Zum Kringeln lecker

Gefüllte Bagels – pikant und süß

So wird's gemacht:

Hier finden Sie Bagels mit Forellenfüllung:

1. Die Radieschen waschen, abtupfen und in kleine Würfel schneiden. Die Forellenfilets in Stückchen schneiden. Die Salatblätter waschen und abtrocknen.
2. Den Frischkäse mit FANTA FRESH LEMON verrühren. Fisch und Radieschen untermengen. Mit Salz, Pfeffer und Curry kräftig würzen.
3. Die Bagels aufschneiden. Alle Hälften mit der Fisch-Käse-Creme bestreichen. Auf je 4 Bagel-Hälften 1 Salatblatt legen und dann die andere Hälfte darauf setzen.

Oder wie wär's mit Blackberry-Bagels:

1. Den Frischkäse mit FANTA WILD BERRIES cremig rühren. Die Brombeeren dazugeben.
2. Und nun die Bagels aufschneiden. Die 8 Hälften mit der Fruchtcreme bestreichen und zusammenklappen.

Zutaten für je 4 Stück:

Für Bagels mit Forelle:
8 Radieschen
125 g geräucherte Forelle
4 Salatblätter
200 Frischkäse
4 EL FANTA FRESH LEMON
Salz, Pfeffer, Currypulver
4 Bagels, z. B. mit Sesam

Zubereitungszeit: 20 Minuten

Für Blackberry-Bagels:
200 g Frischkäse
5 EL FANTA WILD BERRIES
50 g Brombeeren (frisch oder tiefgekühlt und aufgetaut)
4 Blueberry-Bagels (ersatzweise neutrale)

Zubereitungszeit: 10 Minuten

»Okay – 'ne COKE!«
Mit diesem Ausruf werdet Ihr wohl auf der ganzen Welt bekommen, was Ihr wollt – denn nach OK ist COCA-COLA tatsächlich der weltweit bestverstandene Begriff!

Bella Italia

Tomaten-Mozzarella-Spießchen

Zutaten für 6 Stück:

Für die Spießchen:
300 g Kirschtomaten
200 g Mozzarella in Kügelchen
1/2 Bund Basilikum
6 Schaschlikspieße

Für die Marinade:
2–3 Knoblauchzehen
1/2 Bund Basilikum
200 ml FANTA ORANGE
3 EL Limettensaft
Salz, Pfeffer

Zubereitungszeit: 15 Minuten
Marinierzeit: über Nacht

So wird's gemacht:

1. Für die Spießchen die Tomaten waschen und abtrocknen.
2. Für die Marinade den Knoblauch schälen und pressen. Das Basilikum waschen, trockentupfen und fein hacken. FANTA ORANGE, Limettensaft, Basilikum, Knoblauch, Salz und Pfeffer gut vermengen. Die Tomaten mit der Marinade begießen und über Nacht im Kühlschrank ziehen lassen.
3. Kurz vor dem Servieren den Mozzarella abtropfen lassen. Das Basilikum waschen, trockentupfen und die Blätter abzupfen. Die Schaschlikspieße immer hübsch abwechselnd mit Tomaten, Mozzarella-Kügelchen und Basilikum bestücken.

TIPP
Der Mozzarella gewinnt mehr Geschmack, wenn er auch die Nacht in der Marinade verbringen darf. Allerdings leidet dabei sein Aussehen etwas.

Nicht nur für junges Gemüse
Glasierte Möhren mit Kräuterbaguette

Zutaten für 4 Personen:

Für die glasierten Möhren:
750 g Möhren
2 Frühlingszwiebeln
1 EL Sonnenblumenöl
200 ml COCA-COLA
1 Prise Cayennepfeffer
1 EL Zitronensaft
Salz, Pfeffer
1/2 Bund glatte Petersilie
1 Bund Kerbel

Für das Kräuterbaguette:
1/2 Knoblauchzehe
4 EL Olivenöl
4 EL COCA-COLA
Salz, Pfeffer
1/2 Bund Petersilie
1 Zweig Kerbel
1 Baguette
Backpapier für das Blech
Zubereitungszeit: 35 Minuten

So wird's gemacht:

Zuerst geht's an die glasierten Möhren:
1. Die Möhren schälen und längs in breite Streifen schneiden.
2. Die Frühlingszwiebeln waschen, putzen und in feine Scheiben schneiden. Die Möhren am besten in einem dickwandigen Topf mit einem gut schließenden Deckel zubereiten. Darin das Öl erhitzen und die Zwiebeln anbraten. Dann kommen die Möhren, COCA-COLA, Cayennepfeffer und Zitronensaft dazu. Das Ganze bei schwacher Hitze 10–12 Minuten dünsten, bis es »al dente« ist. Der Deckel muss beim Dünsten fest geschlossen sein.
3. Die Möhren mit Salz und Pfeffer würzen.
4. Zu guter Letzt die Temperatur kurz hoch stellen (dafür den Deckel abnehmen) und die Kochflüssigkeit einkochen lassen.
5. Die Petersilie und den Kerbel waschen, trockentupfen, fein hacken und über das Gemüse geben.

Während die Möhren garen, das Kräuterbaguette zubereiten:
1. Den Backofen auf 180° vorheizen. Ein Backblech mit Backpapier auslegen. Den Knoblauch schälen. Das Olivenöl und COCA-COLA verrühren, den Knoblauch dazupressen. Diese Marinade mit Salz und Pfeffer abschmecken.
2. Die Petersilie und den Kerbel waschen, trockentupfen und fein hacken.
3. Das Brot in Scheiben schneiden. Die Scheiben auf das Blech legen.
4. Jede Scheibe mit 1 TL Marinade beträufeln und Petersilie und Kerbel darüber streuen. Im Backofen (Mitte, Umluft 160°) 7–10 Minuten überbacken.

Da bekommen Gespenster Appetit
Kürbissuppe mit Kräuter-Croûtons

So wird's gemacht:

Als Erstes ist die Kürbissuppe dran:

1. Zunächst den Kürbis schälen, den faserigen Teil mit den Kernen entfernen und das Fruchtfleisch in Würfel schneiden. Die Zwiebel schälen und klein hacken.
2. In einem großen Topf das Olivenöl erhitzen und die Zwiebel darin andünsten. Die gewürfelten Kürbisstücke hinzufügen und leicht anbraten. Das Ganze dann mit der Gemüsebrühe ablöschen, FANTA MANDARINE dazugeben und alles 5–10 Minuten köcheln lassen.
3. Und nun geht's ans Kleingemachte: Alles pürieren.
4. Paprika waschen, putzen, in kleine Stifte schneiden und zur Kürbissuppe geben. Alles noch einmal etwa 10 Minuten köcheln lassen. Jetzt die saure Sahne dazugeben und gut unterrühren, aber nicht mehr kochen lassen, sonst flockt die Sahne aus.
5. Zum Schluss ganz nach Geschmack mit Salz, Pfeffer und Muskat würzen.

Eine pfiffige Ergänzung sind die Kräuter-Croûtons:

1. Die ungetoasteten Brotscheiben in kleine Würfel schneiden. Den Knoblauch schälen.
2. Olivenöl, COCA-COLA, durchgepressten Knoblauch, Salz, Pfeffer, Petersilie und Kerbel zu einer Marinade mischen. Diese in einer Pfanne bei starker Hitze etwas einkochen lassen.
3. Die Brotwürfel gleichmäßig in der Pfanne verteilen und einige Minuten rösten. Anschließend die restliche Flüssigkeit bei schwacher Hitze verdampfen lassen, bis die Croûtons schön knusprig sind.

Zutaten für 4 Personen:

Für die Suppe:
500 g Kürbis
1 rote Zwiebel
3 EL Olivenöl
400 ml Gemüsebrühe
1/4 l FANTA MANDARINE
1 kleine rote Paprikaschote
100 g saure Sahne
Salz, Pfeffer
1 Messerspitze Muskatnuss

Für die Croûtons:
4 Scheiben Vollkorntoast
4 EL Olivenöl
4 EL COCA-COLA
1/2 Knoblauchzehe
Salz, Pfeffer
1/2 Bund Petersilie, fein gehackt
1 Zweig Kerbel, fein gehackt

Zubereitungszeit: 45 Minuten

TIPPS

Ein ganzer, ausgehöhlter Kürbis kann als Suppenschüssel dienen. Aber auch ein Kürbisgeist macht sich als Tischgenosse sehr gut. Dafür vom Kürbis einen Deckel abschneiden und den Kürbis mit einem Löffel aushöhlen. Anschließend für das Gesicht oder eine Fratze mit einem scharfen Messer Augen, Mund etc. in den Kürbis schneiden. Ein Teelicht bringt das Gespenst zum Leuchten.

Gepennt wird später

Penne in Tomaten-Tunfisch-Sauce

Zutaten für 4 Personen:

400 g Penne
Salz
1–2 EL Olivenöl
1 kleine Zwiebel
2–3 Knoblauchzehen
40 g Kapern
1 TL Thymian
1 TL Oregano
1 Dose Tunfisch naturell (150 g)
100 ml COCA-COLA
1 Dose Pizza-Tomaten (400 g)
Pfeffer
1 Bund Basilikum
Parmesan zum Bestreuen

Zubereitungszeit: 20 Minuten

TIPP
Wenn die Fett-Bilanz es zulässt, noch 125 g Sahne an die köchelnde Sauce geben. Dann wird sie cremiger.

So wird's gemacht:

1. Die Nudeln – nach Packungsanweisung – in reichlich Salzwasser kochen. Aber nicht zu lange, sodass sie richtig schön »al dente« sind. Dann in einem Sieb abtropfen lassen.
2. In der Zwischenzeit das Olivenöl in einer Pfanne erhitzen. Die Zwiebel und den Knoblauch schälen, klein schneiden und im Olivenöl glasig anbraten. Dann kommen Kapern, Thymian und das Oregano dazu. Einmal umrühren und schon ist der Fisch dran.
3. Den Tunfisch abtropfen lassen, in kleinen Stücken in die Pfanne geben und kurz anbraten. Und jetzt der Clou: mit COCA-COLA ablöschen.
4. Die Dosentomaten mit dem Saft in die Pfanne geben. Jetzt die Tunfischsauce bei mittlerer Hitze etwa 10 Minuten einkochen lassen und mit Salz und Pfeffer würzig abschmecken.
5. Vor dem Servieren die Sauce und die Penne vermischen. Würzige, grüne Tupfer aus frischem Basilikum machen das Ganze optisch und geschmacklich »rund«.
6. Als Zugabe ist frisch geriebener Parmesan ein Muss!

Nicht nur für Champions!
Champignon-Kartoffeln mit Kräutern

Zutaten für 4 Personen:

4 große Kartoffeln
600 g Champignons
4 Knoblauchzehen
2 Bund Petersilie
4–5 Frühlingszwiebeln
4 EL Olivenöl
Salz, Pfeffer
120 ml COCA-COLA
4 EL Crème fraîche

Zubereitungszeit: 50 Minuten

So wird's gemacht:

1. Die Kartoffeln gründlich waschen und in Wasser mindestens 30 Minuten als Pellkartoffeln kochen.
2. Während die Kartoffeln vor sich hin köcheln, die Champignons sauber machen und schmutzige Stiele abschneiden. Am besten die Pilze einfach nur abreiben, nicht waschen. Sonst saugen sie sich schnell mit Wasser voll. Dann in dicke Scheiben schneiden.
3. Als Nächstes den Knoblauch schälen. Die Petersilie waschen und trockentupfen. Beides fein hacken. Die Frühlingszwiebeln waschen, putzen und in dünne Ringe schneiden.
4. Wenn die Kartoffeln gar sind, Olivenöl in einer Pfanne erhitzen und die Zwiebeln mit dem Knoblauch anbraten. Die Pilze hineingeben, mit Salz und Pfeffer kräftig würzen und kurz anbraten. Mit COCA-COLA ablöschen und noch 2–3 Minuten schmoren.
5. Zum Schluss die gehackte Petersilie untermischen.
6. Die fertigen Kartoffeln längs einschneiden und auf jede 1 EL Crème fraîche setzen. Das Ganze mit einer Portion Champignons krönen!

So American!
COKE Potato-Salad

Zutaten für 4 Personen:

Für den Salat:
600 g Kartoffeln
1 TL Butter
1 Prise Salz
300 ml COCA-COLA
125 g Rucola (Rauke)
8 Kirschtomaten

Für das Dressing:
200 ml COCA-COLA
100 g Sesamöl
3 EL Aceto balsamico
1 Knoblauchzehe
1 TL Senf
Salz, Pfeffer

Zubereitungszeit: 50 Minuten

So wird's gemacht:

Zuerst mal ran an die Kartoffeln:
1. Die Kartoffeln schälen und in breite, dicke Streifen schneiden.
2. Dann die Butter in einer beschichteten Pfanne erhitzen. Die Kartoffeln in die Pfanne geben, salzen und von beiden Seiten anbraten. 3 EL COCA-COLA dazugeben und die Kartoffeln darin schwenken.
3. Nach und nach kommt der Rest COCA-COLA zu den Kartoffeln. Dabei die Kartoffeln immer wieder mal wenden und 10–15 Minuten braten, bis sie richtig schön braun sind und die Flüssigkeit ganz eingekocht ist.
4. Die Rucola putzen, waschen und in einem Sieb abtropfen lassen. Die Tomaten waschen und halbieren oder vierteln.

Und jetzt noch schnell das Dressing:
1. Damit sich die Zutaten auch richtig gut mischen, COCA-COLA, Öl, Essig, den durchgepressten Knoblauch, Senf, Salz und Pfeffer am besten in einen Shaker geben. Wenn ein so edles Gerät nicht zur Hand ist, funktioniert das aber genauso gut mit jedem anderen Gefäß, das fest verschlossen werden kann. Einfach den Deckel drauf und richtig kräftig schütteln.
2. Kartoffeln, Rucola und Tomaten in einer Schüssel anrichten. Das Dressing über den Salat geben und 15 Minuten ziehen lassen.

TIPP
Besonders appetitlich schaut das Ganze aus, wenn die Kartoffeln auf der Tellermitte liegen, die Rucola rundherum drapiert ist und alles mit den Kirschtomaten dekoriert wird.

Edel, edel!

Lachsfilets in Limetten-Pfeffer-Sauce

Zutaten für 4 Personen:

Schale von 2 Limetten
8 EL Limettensaft
300 ml FANTA LIMETTE
oder SPRITE
100 ml trockener Weißwein
1 Lorbeerblatt
Salz, Pfeffer
4 Lachsfilets
(zusammen etwa 800 g)
250 g Crème fraîche
2 TL frischer grüner Pfeffer,
grob gehackt
2 Zweige Zitronenmelisse

Zubereitungszeit: 30 Minuten

So wird's gemacht:

1. Als Erstes ist die Sauce dran: Die Limettenschale in feine Streifen schneiden. 6 EL Limettensaft mit FANTA LIMETTE, dem Wein, dem Lorbeerblatt, Salz und Pfeffer in einer Pfanne erhitzen.
2. Und jetzt zum Fisch: Die Fischfilets unter kaltem Wasser abwaschen, trockentupfen und mit dem restlichen Limettensaft beträufeln. Die Filets im Limettenfond in der Pfanne bei schwacher Hitze 10–15 Min. ziehen lassen, dann herausnehmen und warm stellen.
3. Als Finish für die Sauce den Fischfond noch einmal aufkochen lassen, Crème fraîche unterrühren und mit Salz und grünem Pfeffer abschmecken.
4. Die Zitronenmelisse waschen, trockentupfen und in feine Streifen schneiden. Die Fischfilets mit der Sauce anrichten. Zitronenmelisse und Limettenschale darüber streuen.

TIPPS
Zum Lachs schmecken am besten Kartoffeln mit frischer Petersilie. Für die geschmackliche Einheit denselben Wein zum Kochen verwenden, den Sie zum Essen servieren.

Mein Motto
Aprikosenrisotto

Zutaten für 4 Personen:

1 Knoblauchzehe
2 kleine Zwiebeln
20 kleine getrocknete Aprikosen
4 EL Olivenöl
300 g Risotto-Reis
2 EL Currypulver
400 ml FANTA ORANGE
1/2 l Gemüsebrühe
1/2 Bund Koriandergrün oder Petersilie
2 EL Limettensaft

Zubereitungszeit: 15 Minuten
Garzeit: 30 Minuten

So wird's gemacht:

1. Den Knoblauch und die Zwiebeln schälen und klein hacken. Die Aprikosen in kleine Würfel schneiden.
2. Das Olivenöl in einem Topf erhitzen und Knoblauch und Zwiebeln darin bei mittlerer Hitze hell andünsten. Dann die Aprikosenstückchen dazugeben und gut 3 Minuten schmoren lassen.
3. Den Reis mit dem Curry in den Topf geben und beides im Öl wenden. Das Ganze mit FANTA ORANGE ablöschen und die Gemüsebrühe dazugeben. Alles zum Kochen bringen und umrühren. Dann den Topf schließen und das Risotto bei schwacher Hitze in etwa 30 Minuten ausquellen lassen. Zwischendurch immer mal wieder umrühren.
4. Zum Schluss Koriander oder Petersilie waschen, trockentupfen und fein hacken. Das Risotto mit dem Limettensaft beträufeln und mit dem Grünzeug bestreut servieren.

Wer kann da Nein sagen?
BONAQA Zitronenrauten

Zutaten für 4 Personen:

4 Eier
350 g Zucker
1/4 l Maiskeimöl
375 g Mehl
1 Päckchen Backpulver
1/4 l BONAQA SPARKLING
200 g Puderzucker
50 ml SPRITE
1 unbehandelte Zitrone
1 Limette
Backpapier für das Blech

Zubereitungszeit: 20 Minuten
Backzeit: 35 Minuten

So wird's gemacht:

1. Den Backofen auf 175° (Umluft 160°) vorheizen und das Backblech mit Backpapier auslegen.
2. Die Eier mit dem Zucker schaumig schlagen. Dann langsam das Öl unterrühren.
3. Das Mehl mit dem Backpulver mischen und löffelweise unter den Ei-Schaum rühren. Dann BONAQA langsam dazugeben – und schon ist der Teig fertig.
4. Den Teig auf dem Blech verteilen und im Backofen etwa 35 Minuten backen.
5. Den fertigen Kuchen aus dem Ofen nehmen und auskühlen lassen.
6. Nun zum süßen Part: Den Puderzucker sieben und mit der SPRITE zu einer glatten Masse verrühren. Diese Glasur auf dem Kuchen verstreichen.
7. Die Zitrone und die Limette waschen und abtrocknen. Mit einem Zestenschneider von der Schale feine Streifen abziehen (oder die Früchte dünn schälen und die Schale mit einem Messer in feine Streifen schneiden). Die Streifen auf dem Kuchen verteilen, sobald der Guss halb fest ist. Zum Schluss den Kuchen in Rauten schneiden.

Keine Durststrecke...
205 Drinks aus dem Hause COCA-COLA lassen die Deutschen durchschnittlich pro Jahr die Kehle hinabfließen. Und ab sofort werden die Marktforscher auch in die Töpfe der Deutschen blicken müssen...

Für die süße Sehnsucht
Joghurt-Mandarinen-Creme

Zutaten für 4 Personen:

1 kleine Dose Mandarinen
2 Eier
3–4 EL Zucker
250 g Vollmilch-Joghurt
300 ml FANTA MANDARINE
6 Blatt Gelatine
1 TL fein abgeriebene Schale einer unbehandelten Orange
1 Prise Salz

Zubereitungszeit: 25 Minuten
Ruhezeiten:
1 Stunde 20 Minuten

So wird's gemacht:

1. Mandarinen auf einem Sieb gut abtropfen lassen.
2. Die beiden Eier trennen. Die Eigelbe mit Zucker schaumig schlagen. Den Joghurt, 1/4 l FANTA MANDARINE, die Mandarinen und die Orangenschale dazugeben.
3. Die Gelatine in kaltem Wasser 5 Minuten quellen lassen, leicht ausdrücken und mit dem Rest FANTA unter leichtem Rühren langsam erhitzen.
4. Die aufgelöste Gelatine unter die Joghurt-Mischung rühren und alles 20 Minuten kalt stellen.
5. Die Eiweiße mit 1 Prise Salz steif schlagen und unter die Masse heben.
6. Die Creme in eine Schüssel füllen und mindestens 1 Stunde kalt stellen.
7. Als Deko machen sich Mandarinenscheiben, Zitronenschale und Zitronenmelisse gut.

Sturm im Longdrinkglas
Eiscreme-Sodas

Zutaten für je 1 Longdrinkglas:

200 ml eisgekühltes Getränk
1 Kugel Eis

Zubereitungszeit: je 3 Minuten

So wird's gemacht:

Marilyn M. (alkoholfrei)
Vanille-Eis ins Glas geben und FANTA WILD BERRIES darüber gießen.

Crazy COKE (alkoholfrei)
Vanille-Eis ins Glas geben und COCA-COLA darüber gießen.

Funky green (alkoholfrei)
Zitronensorbet mit FANTA LIMETTE übergießen.

TIPPS
»Crazy COKE« wird mit Zitronensorbet statt Vanilleeis fruchtiger. Mit 1 Schuss Tequila wird aus »Funky green« ein spritziger Longdrink für die Happy Hour.

Für heiße Nächte
Summer-Cool

Zutaten für 4 Personen:

1/2 Salatgurke
1/2 Apfel, z.B. Braeburn
4 EL PIMMS (englischer Likör)
1 Zweig Pfefferminze
Eiswürfel
1 l eisgekühlte SPRITE

Zubereitungszeit: 10 Minuten

So wird's gemacht:

1. Die halbe Salatgurke schälen, entkernen und in kleine Stückchen schneiden. Dann die Apfelhälfte in kleine Würfel schneiden.
2. PIMMS in eine Karaffe geben.
3. Die Apfel- und Gurkenstückchen, abgezupfte Pfefferminzblättchen und reichlich Eiswürfel hinzugeben und mit eisgekühlter SPRITE auffüllen. Fertig!

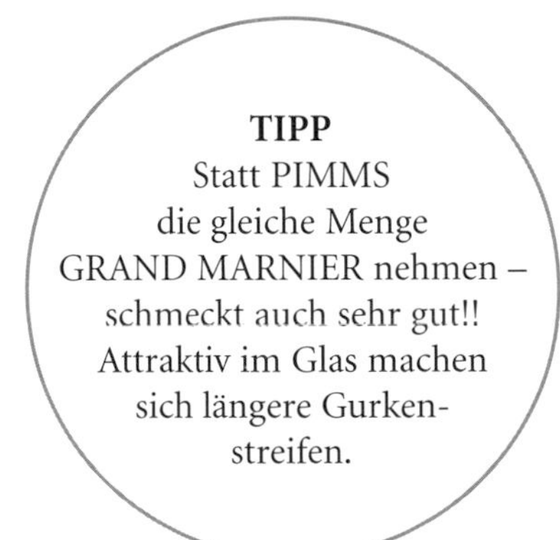

TIPP
Statt PIMMS die gleiche Menge GRAND MARNIER nehmen – schmeckt auch sehr gut!! Attraktiv im Glas machen sich längere Gurkenstreifen.

Ganz harmlos
Winter-Hot

Zutaten für 4 Personen:

1/2 l CAPPY APFELSAFT
1/2 l LIFT APFELSAFTSCHORLE
2 Stangen Zimt
5 Gewürznelken
20 g Apfel-Chips (dünne, getrocknete Apfelringe; gibt's fertig zu kaufen)

Zubereitungszeit: 10 Minuten

So wird's gemacht:

1. CAPPY APFELSAFT und LIFT APFELSAFTSCHORLE mit dem Zimt und den Nelken erhitzen, und zwar schön langsam, damit der Punsch nicht ins Kochen gerät.
2. Dann die Apfel-Chips dazugeben. Der Punsch muss heiß ins Glas kommen, dann schlürft er sich so richtig lecker.

enjoy! nature

Let’s go out!

Raus aus dem Haus!
Picknick oder Barbecue, Fahrrad oder Cabrio, Baggersee oder Balkon, Freunde oder Familie – einfach ab ins Grüne! Enjoy the sunshine!

fun outdoor ...

Feel the heat!

Ananas-Mango-Sauce und COKE Marinade

So wird's gemacht:

Die Ananas-Mango-Sauce:

1. Die Mango schälen und in kleinen Stücken vom Kern schneiden. Den Apfel halbieren. 1 Hälfte ungeschält klein schnibbeln. Die andere Hälfte schälen und mit den Mangostücken grob pürieren. FANTA MANDARINE und die Apfelstückchen zum Püree geben.
2. Die Ananasringe abtropfen lassen, klein schneiden und zu der Mangomasse geben. Fertig ist eine Sauce, die super schmeckt zu Fleisch und Geflügel.

COKE Marinade:

1. Den Knoblauch schälen und durchpressen. Alle Zutaten gut miteinander verrühren oder, noch besser, in einen Shaker geben und kräftig schütteln (funktioniert auch mit einem anderen Gefäß, das allerdings wirklich fest verschließbar sein muss).
2. Die Marinade passt gut z.B. zu Lamm-Koteletts, Chicken Wings, Spareribs oder Schnitzeln. Das Fleisch mit der Marinade gut einpinseln, in eine Schale legen, den Rest der Marinade darüber geben und das Fleisch über Nacht ziehen lassen.

Zutaten für 4 Personen:

Für die Ananas-Mango-Sauce:
1 Mango
1 Apfel (Granny Smith)
50 ml FANTA MANDARINE
1 Dose Ananas (300 g Inhalt)

Zubereitungszeit: 10 Minuten

Für die COKE Marinade:
2 Knoblauchzehen
1/4 l COCA-COLA
10 EL Hot-Chili-Ketchup
5 Tropfen Tabasco, grün
Salz, Pfeffer
Paprikapulver, rosenscharf

Zubereitungszeit: 5 Minuten

Fresh 'n' creamy
Kräuter-Quark-Creme

TIPP
Die Creme schmeckt gut als Dip für Gemüserohkost, zu Kartoffeln, Lammfleisch, Hackfleischbällchen, Tortillastückchen oder auch aufs Brot.

Zutaten für 4 Personen:

je 1 Bund Schnittlauch,
Basilikum, Kerbel, Petersilie
1/2 Bund Dill
1 Zweig frische Pfefferminze
1 Apfel, z.B. Granny Smith
500 g Magerquark
75 g Crème fraîche
100 ml FANTA LIMETTE
Salz, Pfeffer
1 EL Zitronen-Olivenöl

Zubereitungszeit: 20 Minuten
Kühlzeit: 1–2 Stunden

So wird's gemacht:

1. Die Kräuter waschen, trockentupfen und bis auf die Minze klein schnibbeln. Die Minzeblättchen in feine Streifen schneiden.
2. Den Apfel schälen, vierteln, das Kerngehäuse entfernen und die Apfelstücke fein würfeln.
3. Den Quark und die Crème fraîche mit FANTA LIMETTE verrühren und die Creme nach Belieben mit Salz und Pfeffer würzen. Die Kräuter zusammen mit Apfel und Minze unterheben. Die Quark-Creme kühl stellen und 1–2 Stunden ziehen lassen.
4. Vor dem Servieren das Zitronen-Olivenöl dazurühren. Zum Schluss die Kräutercreme noch einmal abschmecken und – wenn nötig – ein wenig nachwürzen.

Small & tasty
Karamellzwiebeln

Zutaten für 4 Personen:

1 Glas Perlzwiebeln
4 EL Zucker
1/4 l COCA-COLA
3 Knoblauchzehen
Tabasco
1 Bund glatte Petersilie

Zubereitungszeit: 25 Minuten

So wird's gemacht:

1. Die Perlzwiebeln abtropfen lassen.
2. Den Zucker in einen Topf mit dickem Boden geben und bei schwacher Hitze langsam schmelzen. Wenn der Zucker goldbraun ist, mit COCA-COLA ablöschen und die Mischung so lange kochen lassen, bis sich der Zucker wieder gelöst hat.
3. Dann den Knoblauch schälen, pressen und zusammen mit 2 Spritzern Tabasco dazugeben. Als Letztes wandern die Perlzwiebeln in den Topf. Das Ganze etwa 15 Minuten köcheln lassen, bis nur noch gut ein Drittel der Flüssigkeit übrig ist.
4. Die Petersilie waschen, hacken und dazugeben. Die Karamellzwiebeln abkühlen lassen – fertig ist eine 1A-Grillbeilage.

I'll bite you!

Creamy Chicken-Sandwich

So wird's gemacht:

1. Das Gemüse und den Salat waschen. Die Tomaten entkernen und ohne Stielansätze in kleine Würfel schneiden. Die Zwiebeln putzen und in dünne Scheiben schneiden, beides mischen.
2. Den Frischkäse mit FANTA MANDARINE und Curry zu einer Creme verrühren.
3. Die Putenbrust in feine Längsstreifen schneiden, salzen und pfeffern, dann in den Sesamkörnern wenden. Die Butter erhitzen und die Streifen darin bei mittlerer bis starker Hitze gar braten.
4. Die Pitta- oder Sandwichtaschen toasten, dann schmecken sie noch ein bisschen besser. Wenn das nicht ohnehin schon passiert ist, jetzt die Taschen aufschneiden. Dann innen dick mit dem Frischkäse bestreichen, mit Salatblättern auslegen und abwechselnd Putenbrust und die Gemüsemischung hineinschichten.

Zutaten für 4 Stück:

2 große oder 6 kleine Tomaten (etwa 250 g)
1–2 Frühlingszwiebeln (etwa 100 g)
8 Salatblätter (Kopfsalat oder Romana)
400 g Frischkäse
8 EL FANTA MANDARINE
1/2 TL Currypulver
150 g Putenbrust
Salz, Pfeffer
30 g Sesamkörner
1/2 EL Butter zum Anbraten
4 Pitta- bzw. Sandwichtaschen

Zubereitungszeit: 25 Minuten

TIPP
Wer's lieber fruchtig mag, ersetzt die Tomaten durch beispielsweise kleine Würfel Aprikosen oder Nektarinen.

Pretty in pink
Grapefruit-Salat

Zutaten für 4 Personen:

Für das Dressing:
100 ml COCA-COLA
3 EL Walnussöl
1 TL Sojasauce
1 TL Limettensaft
1 EL FANTA LIMETTE
2 Tropfen Tabasco
1 kleine Knoblauchzehe
Salz, Pfeffer
2 EL Pinienkerne

Für den Salat:
250 g Rotkohl
250 g Kohlrabi
2 rosa Grapefruits

Zubereitungszeit: 30 Minuten

So wird's gemacht:

1. Für das Dressing COCA-COLA, Walnussöl, Sojasauce, Limettensaft, FANTA LIMETTE und Tabasco mischen. Den Knoblauch schälen und dazupressen. Die Sauce mit Salz und Pfeffer abschmecken.
2. Für den Salat Rotkohl und Kohlrabi putzen und mit der Küchenmaschine grob raspeln. Oder mit dem Messer in feine Streifen schneiden.
3. Die Grapefruits schälen, in Scheibchen zerlegen und die Haut von den einzelnen Scheiben ablösen. Dann das Fruchtfleisch in kleine Stücke schneiden.
4. Rotkohl, Kohlrabi und Grapefruit miteinander vermengen.
5. Die Pinienkerne in einer beschichteten Pfanne (ohne Fett) bei starker Hitze anrösten. Aufgepasst, dass sie dabei nicht verkokeln! Denn plötzlich geht's mit dem Rösten blitzschnell!
6. Das Dressing und ganz zuletzt die gerösteten Pinienkerne über den Salat geben.

Coca-Cola

Ganz schön durstig!
Jede Sekunde werden weltweit ca. 7000 Getränke aus dem Hause COCA-COLA konsumiert.

Schön fruchtig

Gurkensalat mit Erdbeeren und Melone

Zutaten für 4 Personen:

Für den Salat:
1 Salatgurke
Salz, Pfeffer
1/2 Honigmelone
300 g Erdbeeren

Für die Sauce:
150 ml FANTA ORANGE
5 EL Limettensaft
4 EL Honig
1 Bund Dill
Salz, Pfeffer

Zubereitungszeit: 20 Minuten
Ruhezeiten: 30 Minuten

So wird's gemacht:

Zunächst der Salat:

1. Die Salatgurke waschen, eventuell schälen, längs halbieren und mit einem Löffel die Kerne herausschälen. Die beiden Hälften in halbe Ringe schneiden, salzen und gut pfeffern.
2. Die Honigmelone vierteln, die Kerne entfernen, das Fruchtfleisch von der Schale lösen und in dünne Stücke schneiden.
3. Die Erdbeeren waschen, putzen und – je nach Größe – halbieren oder vierteln. Alle Gurken-, Melonen- und Erdbeerstücke sollten in etwa die gleiche Größe haben.
4. Alle Salatzutaten mischen und 15 Minuten ziehen lassen.

Während der Salat zieht, kommt die Sauce dran:

1. FANTA ORANGE, Limettensaft, Honig gut vermischen.
2. Den Dill waschen, hacken, zur Sauce geben und mit Salz und Pfeffer würzen.
3. Die Sauce über die marinierten Früchte geben und gut durchmischen.
4. Den fertigen Salat etwa 15 Minuten kühl stellen – dann kann es losgehen!

So long – so spicy!
Feuriger Spaghetti-Salat

So wird's gemacht:

1. Reichlich Salzwasser zum Kochen bringen. Die Spaghetti in drei Teile brechen und »al dente« kochen. Dann abgießen und abtropfen lassen.
2. Während die Spaghetti vor sich hin köcheln, die Paprika waschen, putzen und in Streifen schneiden, ebenso den Schinken und die Tomaten. Die Gewürzgurken in dünne Stifte und die Chilischoten ohne Kerne in kleine Ringe schneiden.
3. Für die Sauce Öl, Essig, LIFT APFELSAFTSCHORLE, Kapern und Senf mixen.
4. Dann die Salatzutaten in eine Schüssel geben, mit der Salatsauce mischen und zugedeckt mindestens 3 Stunden ziehen lassen.
5. Vor dem Servieren Cayennepfeffer dazugeben und abschmecken. Zu guter Letzt die Petersilie waschen, trockentupfen, fein hacken und über den Salat streuen.

Zutaten für 4 Personen:

Salz
300 g Spaghetti
200 g rote Paprikaschote
150 g Lachsschinken
8 eingelegte Tomaten
200 g Gewürzgurken
(aus dem Glas)
2–3 eingelegte rote Chilischoten
5 EL Olivenöl
3 EL Weizenkeimöl
3 EL Estragonessig
6 EL LIFT APFELSAFTSCHORLE
2 El Kapern
2 EL mittelscharfer Senf
Cayennepfeffer
1 Bund glatte Petersilie

Zubereitungszeit: 20 Minuten
Zeit zum Durchziehen: 3 Stunden

The American couple
COCA-COLA Muffins

So wird's gemacht:

1. Den Backofen auf 160° vorheizen. Die Papierförmchen in die Mulden der Muffinform setzen oder auf einem Backblech bereitstellen. Das Mehl in eine Schüssel geben und gründlich mit dem Backpulver, dem Zimt, den Nüssen und den Schokoraspeln mischen.
2. Das Ei schaumig schlagen. Den Zucker, die Butter, COCA-COLA und die Buttermilch hinzufügen und gut verrühren.
3. Nun die Mehlmischung dazugeben. Mit einem Kochlöffel nur so lange rühren, bis sich alles zu einem Teig gemischt hat.
4. Die Förmchen mit Teig füllen und im Backofen (Mitte, Umluft 140°) 35 Minuten backen.
5. Die Muffins noch 15 Minuten in der Form lassen, dann herausnehmen und auf dem Kuchengitter abkühlen lassen.
6. Für die Dekoration Puderzucker mit COCA-COLA verrühren und auf die Muffins streichen.
   Jedes Muffin mit 1–2 Weingummi-Fläschchen dekorieren.

Zutaten für 12 Stück:

Für die Muffins:
280 g Mehl
3 TL Backpulver
1/2 TL Zimtpulver
50 g gehackte Walnüsse
50 g Schokoraspel
1 Ei
150 g Zucker
125 g weiche Butter
150 ml COCA-COLA
100 g Buttermilch
Papierbackförmchen oder Muffinform

Für die Deko:
60 g Puderzucker
1–2 EL COCA-COLA
COLA Fläschchen aus Weingummi

Zubereitungszeit: 30 Minuten
Backzeit: 35 Minuten

Enjoy everywhere!
In nahezu 200 Ländern bietet THE COCA-COLA COMPANY ihren durstigen Fans insgesamt 230 Softdrinks an. Täglich perlt die unglaubliche Zahl von mehr als einer Milliarde COCA-COLA Drinks die Kehlen runter.

Nicht nur fürs Greenhorn
Kiwi-Kaltschale

Zutaten für 4 Personen:

5 Kiwis
400 ml FANTA LIMETTE
1 Zweig Zitronenmelisse

Zubereitungszeit: 10 Minuten
Kühlzeit: 1 Stunde

So wird's gemacht:

1. Die Kiwis schälen.
2. 4 Kiwis in Stücke schneiden und pürieren. Das Kiwi-Püree mit FANTA LIMETTE mischen.
3. Die letzte Kiwi in kleine Stücke schneiden und dazugeben. Alles 1 Stunde kalt stellen.
4. Erst kurz vorm Servieren die Zitronenmelisse in feine Streifen schneiden und über die Kaltschale streuen.

Auch bei Sonnenuntergang perfekt
Tequila Sunrise

Zutaten für 4 Drinks:

1 unbehandelte Orange
200 ml Tequila
Eiswürfel
600 ml FANTA ORANGE
4 EL Grenadine

Zubereitungszeit: 10 Minuten

So wird's gemacht:

1. Die Orange heiß abwaschen, trockenreiben und in Scheiben schneiden.
2. Jeweils 50 ml Tequila in 4 Longdrinkgläser gießen. Die Gläser drei Viertel hoch mit zerstoßenem Eis füllen, je 150 ml FANTA ORANGE dazugeben und umrühren. In jedes Glas kommt dann noch 1 EL Grenadine. Jetzt auf keinen Fall umrühren, sonst geht der tolle Farbeffekt flöten!
3. Als Deko je 1 Orangenscheibe (gut machen sich auch noch 1 Stück Schale und 1 Basilikumblatt) auf den Glasrand stecken und fertig ist ein Longdrink-Klassiker mit neuer Note!

enjoy! your job

Fun im Büro

From 9:00 to 5:00!
Einstand, Geburtstag, Beförderung – im Job gibt's jede Menge zu feiern! Say bye-bye to Chips & Co – jetzt gibt's den COCA-COLA Partyspaß auch für Kollegen. Mal als Frühstück, mal zur Blue Hour...

fun at work ...

Crunch it!

Müsli 3x anders

Zutaten für je 1 Portion:

als Basis:
150 g Joghurt
40 g Müsli
(z.B. Nuss-Müsli-Mischung)

Für Wild Berries Müsli:
1 Portion Basis-Müsli
8 EL FANTA WILD BERRIES
80 g Wildbeeren-Mischung
(tiefgekühlt und aufgetaut)
1 TL Vanillezucker

Für Orangenmüsli:
1 Portion Basis-Müsli
8 EL FANTA ORANGE
Filets von 1 Orange

Für Classic Müsli:
1 Portion Basis-Müsli
8 EL FANTA MANDARINE
1/2 klein geschnittene Banar
1/2 klein geschnittener Apfe

Zubereitungszeit pro Müsli: 5–10 Minuten

So wird's gemacht:

1. Den Joghurt mit der jeweiligen Geschmacksvariante von FANTA glatt rühren. Die Variante Wild Berries mit Vanillezucker süßen.
2. Die Hälfte der entsprechenden Früchte unter die Joghurt-Mischung heben.
3. Das Müsli zum Joghurt geben und das Ganze mit dem restlichen Obst garnieren.

Sooo lecker

Waffeln mit Früchten

Zutaten für 4 Personen:

Für die Früchte:
400 g Erdbeeren
400 g Rhabarber
100 ml LIFT APFELSAFTSCHORLE
1 EL Honig
2 EL Speisestärke

Zubereitungszeit: 1 Stunde

Für die Waffeln:
250 g Mehl
80–100 g Zucker
1 Päckchen Bourbon-Vanillezucker
1 Prise Salz
400 ml Vollmilch
100 ml BONAQA SPARKLING
3 Eier
Butter für das Waffeleisen
Puderzucker zum Bestreuen

So wird's gemacht:

Am besten mit den Früchten beginnen:

1. Die Erdbeeren waschen, putzen und halbieren. Den Rhabarber schälen und in kleine Stücke schneiden.
2. LIFT APFELSAFTSCHORLE in einem Topf erhitzen und den Honig darin auflösen. Darin den Rhabarber 5 Minuten dünsten. Dann die Erdbeeren hinzufügen und alles aufkochen lassen. Die Speisestärke unterrühren und noch einmal aufkochen lassen.
3. Die fruchtige Mixtur abkühlen lassen.

Und nun zu den Waffeln:

1. Mehl, Zucker, Vanillezucker und Salz mischen. Milch und BONAQA SPARKLING mischen und in einem dünnen Strahl zugeben. Nach und nach die Eier unterrühren. Die Butter in einem Topf bei schwacher Hitze schmelzen und ebenfalls in einem dünnen Strahl unter den Teig rühren. Die Schüssel zudecken und den Teig 10 Minuten quellen lassen.
2. Waffeln im Waffeleisen zubereiten, eventuell das Eisen für jeden Backgang einfetten.
3. Die fertigen Waffeln mit Puderzucker bestäuben und mit den Früchten servieren.

Auch für Rapper!

Wrappers

EIN PICKNICK-TIPP
Die gefüllten Tortillas zu zwei Dritteln in Pergamentpapier einrollen, dann kann man sie auch »on tour« verspeisen. Guten Hunger!

Zutaten für 8 Stück:

1 Zwiebel
2 Knoblauchzehen
Butterschmalz
800 g Hackfleisch
Salz, Chilipulver
120 ml COCA-COLA
1 Dose Maiskörner (400 g)

1 rote Paprikaschote
1 grüne Paprikaschote
1/2 Bund Koriandergrün
8 Tortillas (Fertigprodukt)
Crème fraîche

Zubereitungszeit: 40 Minuten

So wird's gemacht:

1. Die Zwiebel schälen und grob hacken. Den Knoblauch schälen. Das Butterschmalz in einer Pfanne erhitzen und die Zwiebel darin glasig dünsten. Den Knoblauch pressen und zusammen mit dem Hackfleisch in die Pfanne geben. Das Fleisch scharf anbraten und mit Salz und Chilipulver kräftig würzen. Mit 60 ml COCA-COLA ablöschen und bei mittlerer Hitze kochen lassen.
2. Den Mais gut abtropfen lassen. Die Paprikaschoten waschen, putzen und in kleine Würfel schneiden. Den Koriander waschen, trockentupfen und die Blättchen abzupfen. Mais und Paprikaschoten zum Hackfleisch geben und noch 15 Minuten garen. Zwischendurch immer wieder ein wenig COCA-COLA nachgießen.
3. Die Tortillas ausbreiten. Jeweils in der Mitte das Hackfleisch verteilen und mit frischem Koriander bestreuen. Dann die Tortillas im unteren Drittel einschlagen und zusammenrollen. Auf einer Platte anrichten. Dazu gibt's als Dip Crème fraîche.

Zum Anknabbern

Chicken-Wings in Aprikosen-Sauce

Zutaten für 4 Personen:

1 eingelegte Chilischote
2 Knoblauchzehen
150 ml FANTA ORANGE
150 g Aprikosenkonfitüre
50 g mittelscharfer Senf
1 EL Sojasauce
4 EL COCA-COLA
etwa 1 kg Hühnerflügel (tiefgefrorene auftauen)
Salz, Pfeffer
2 EL Schmand

Zubereitungszeit: 30 Minuten
Marinierzeit: 1 Stunde

So wird's gemacht:

1. Die Chilischote entkernen und fein hacken. Den Knoblauch schälen und pressen. Beides mit FANTA ORANGE, Aprikosenkonfitüre, Senf, Sojasauce und COCA-COLA mixen.
2. Die Hühnerflügel waschen, mit Küchenpapier abtupfen und für gut 1 Stunde in die Marinade legen. Zwischenzeitig immer mal wieder wenden – schließlich sollen die Wings von der Sauce richtig was abbekommen.
3. Dann die Wings aus der Marinade nehmen und mit Salz und Pfeffer würzen. Für 10–15 Minuten auf den Grill legen, dabei einmal wenden.
4. Der Clou: Die Marinade im Kochtopf erwärmen und mit Schmand verfeinern. Unschlagbar zu den Wings!

Schmeckt auch aus der Pfanne

Man braucht nicht unbedingt den Grill anzuwerfen, um an knusprige Chicken-Flügelchen zu kommen. Die Alternative: Pflanzencreme in einer Pfanne erhitzen und die Wings kräftig anbraten. Dann die Hitze reduzieren und das Geflügel etwa 15 Minuten weiterbraten, bis es goldbraun und knusprig ist.

Nix für Spießer

Saté-Spieße mit Mango-Erdnuss-Sauce

So wird's gemacht:

1. Die Spieße brauchen einen Marinade-»Gang«:
   Das Fleisch unter kaltem Wasser abspülen, trockentupfen und längs zur Faser in schmale Streifen schneiden.
2. Die Frühlingszwiebeln waschen, putzen, klein schneiden und zusammen mit dem Koriander, der Sojasauce, COCA-COLA und der Kokosmilch fein pürieren. In dieser Marinade das Fleisch 2 Stunden ziehen lassen.
3. Jetzt zur Sauce: Die Mango schälen und klein würfeln. Die Chillies entkernen und in Streifen schneiden. Die Mangowürfel, die Chillies und die Erdnüsse pürieren.
4. Die Fleischstreifen ziehharmonikaartig auf Schaschlikspieße stecken. Das Öl in einer Pfanne erhitzen. Den Knoblauch schälen und dazupressen. Die Fleischspieße auf jeder Seite 2 Minuten braten, dann aus der Pfanne nehmen und warm stellen.
5. Die übrige Fleischmarinade und FANTA MANDARINE unter die Mango-Erdnuss-Sauce mischen und in die Pfanne geben. Das Ganze aufkochen lassen und mit Salz und Pfeffer abschmecken.
6. Die Spieße mit der Sauce auf den Teller bringen.
   Und: »Essen ist fertig!«

TIPP
Für diejenigen,
die auch mal etwas Anderes
probieren möchten:
schmeckt auch prima mit
Schweine- oder
Putenfleisch.

Zutaten für 4 Personen:

Für die Spieße:
800 g Hähnchenbrust
2 Frühlingszwiebeln
1 TL gemahlener Koriander
2 EL Sojasauce
100 ml COCA-COLA
200 ml Kokosmilch (Dose)
2 EL Öl
2 Knoblauchzehen
Schaschlikspieße

Für die Sauce:
1 Mango
2 getrocknete Chilischoten
50 g geröstete Erdnüsse
100 ml FANTA MANDARINE
Salz, Pfeffer

Zubereitungszeit: 1 Stunde
Marinierzeit: 2 Stunden

Schmeckt nach mehr!

Orangen-Tomaten-Suppe

Zutaten für 4 Personen:

2 Honigmelonen
375 ml passierte Tomaten (Tetra-Pack)
350 ml FANTA ORANGE
2 TL abgeriebene Limettenschale
125 g Erdbeeren

Zubereitungszeit: 30 Minuten
Marinierzeit: über Nacht

So wird's gemacht:

Wer eine Suppe mal von ihrer eiskalten Seite erleben will, muss:

1. Eine Melone aufschneiden und entkernen. Das Fruchtfleisch schälen und würfeln. Die passierten Tomaten, FANTA ORANGE, Limettenschale und Melonenfleisch zu einem glatten Püree verarbeiten und diese Masse über Nacht ziehen lassen.
2. Am nächsten Tag geht's dann an die fruchtigen Zutaten für die Suppe: Die zweite Honigmelone ebenfalls halbieren und entkernen. Mit einem Kugelausstecher kleine Kugeln ausschneiden (wer's lieber eckig mag, schneidet das Fruchtfleisch in kleine Würfel). Die Erdbeeren waschen, putzen und vierteln.
3. Jetzt kommt zueinander, was zueinander gehört: Suppe und Früchte miteinander verrühren.

TIPP
Ach, übrigens:
Gut gekühlt schmeckt die Orangen-Tomaten-Suppe am besten! Streifen von Zitronenmelisse passen gut dazu.

Cut it – dip it – simply enjoy it!

Sticks and Dips

TIPP
Die Gemüsesorten für die Sticks können Sie ganz nach Geschmack auswählen. Da gilt das Motto: je bunter, desto besser.

Zutaten für 4 Personen:

Für den Erdnussdip:
125 g Speisequark (20 %)
1 EL Erdnusscreme
2 EL COCA-COLA
2 EL gehackte Erdnüsse (geröstet, ungesalzen)
gemahlener Koriander
Chilipulver
Salz, Pfeffer

Für den Avocadodip:
1 reife Avocado
100 g Frischkäse
3 EL FANTA ORANGE
1/2 TL Currypulver
3 Tropfen Tabasco
1 EL Kokosraspel
Salz, weißer Pfeffer

Für die Pfeffer-Limetten-Creme:
250 g Mascarpone
3 EL SPRITE
1/2 TL mittelscharfer Senf
1–2 EL eingelegte, grüne Pfefferkörner
abgeriebene Schale von 1 Limette
Salz

Für die Sticks:
1 rote Paprikaschote
1 gelbe Paprikaschote
2 Möhren
1/2 Blumenkohl
1/2 Brokkoli
1 Salatgurke
10 Kirschtomaten
10 Radieschen

Zubereitungszeiten: pro Dip 15 Minuten, für das Gemüse: 10–20 Minuten

So wird's gemacht:

Als Erstes werden die Dips vorbereitet:

1. Für den Erdnussdip Quark, Erdnusscreme und COCA-COLA zu einer cremigen Masse verrühren. Die Erdnüsse klein hacken und unter die Quarkcreme rühren. Seine Power bekommt dieser Dip durch die Gewürze: also mit Koriander, Chillipulver, Salz und Pfeffer kräftig abschmecken.
2. Für den Avocadodip das Fruchtfleisch der reifen Avocado zerdrücken und mit Frischkäse und FANTA ORANGE zu einem glatten Püree verrühren. Curry, Tabasco und Kokosraspel dazugeben, mit Salz und Pfeffer abschmecken.
3. Für die Pfeffer-Limetten-Creme Mascarpone, SPRITE und Senf glatt rühren. Pfefferkörner hacken und mit der Limettenschale unter die Masse geben. Mit Salz abschmecken.

Damit das Gemüse möglichst wenig Vitalstoffe verliert, ist es als Letztes dran:

1. Alle Gemüse waschen, putzen und in mundgerechte Portionen schneiden. Wer bestimmte Gemüsesorten nicht so gerne roh isst, kann sie blanchieren, ein paar Minuten kochen, dann kalt abschrecken. Sie bleiben dann schön knackig.

Zum Anbeißen!

Orangentartes

So wird's gemacht:

1. Die Milch mit dem Zucker aufkochen lassen.
2. Eigelbe, Puddingpulver und FANTA ORANGE glatt rühren. Diese Masse nach und nach unter die Milch rühren und erneut aufkochen lassen. Dann vom Herd nehmen und abkühlen lassen. Dabei ab und zu umrühren.
3. Als Nächstes die weiche Butter und den Vanillezucker cremig aufschlagen.
4. Die Orangencreme unterrühren und auf die einzelnen Tartes verteilen. Anschließend 2 Stunden kalt stellen.
5. Die Orangen schälen, dabei die weiße Haut mit entfernen. Dann die Früchte in dünne Scheiben schneiden und jede Tarte mit 1 Orangenscheibe dekorieren.
6. So richtig zum Anbeißen sehen die Tartes aus, wenn sie vor dem Servieren noch mit Puderzucker bestäubt werden. Attraktiv als Deko sind auch Zitronenmelisse-Blättchen.

Zutaten für 12 Stück:

12 fertige Torteletts (Mürbeteig)
300 ml Milch
100 g Zucker
3 Eigelbe
1 Päckchen Vanille-Puddingpulver
150 ml FANTA ORANGE
50 g weiche Butter
1 Päckchen Bourbon-Vanillezucker
2 Blutorangen
Puderzucker zum Bestäuben

Zubereitungszeit: 30 Minuten
Kühlzeit: 2 Stunden

Süße Früchtchen

Weiße Schokocreme mit Stachelbeeren

Zutaten für 4 Personen:

Für das Stachelbeer-Kompott:
2 EL Speisestärke
200 ml FANTA LIMETTE
200 ml SPRITE
750 g Stachelbeeren

Zubereitungszeit: 30 Minuten
Kühlzeiten: 2 1/2 Stunden

Für die Creme:
2 Päckchen Vanillesauce
125 ml Milch
Bittermandelöl
200 g weiße Schokolade
400 g Sahne
1 EL ungesalzene Pistazienkerne
1 Schale Physalis (Kapstachelbeeren)

So wird's gemacht:

Zuerst werden die Stachelbeeren zu einem fruchtigen Kompott verarbeitet:

1. Die Speisestärke mit 2 EL kaltem Wasser glatt rühren. Dann FANTA LIMETTE und SPRITE zum Kochen bringen. Die Speisestärke dazugeben und aufkochen lassen, vom Herd nehmen. Die Stachelbeeren halbieren und unterrühren.
2. Anschließend das Kompott kühl stellen.

Nun geht's an die Creme:

1. Die Vanillesauce mit der Milch nach Anleitung zubereiten. Nun 1 Tropfen Bittermandelöl dazugeben. Die Schokolade grob hacken, in der Sauce auflösen und umrühren. Auch diese Creme etwa 30 Minuten kalt stellen.
2. Die Sahne steif schlagen und unter die Vanillecreme ziehen.
3. Und jetzt ist Schichtarbeit angesagt: Die Vanillecreme und das Kompott abwechselnd in eine Schüssel oder auch in Longdrinkgläser geben und noch mal 2 Stunden kühl stellen.
4. Als Deko Pistazien klein hacken und vor dem Servieren über die Creme geben. Chic machen sich geöffnete Physalis am Tellerrand.

So smooth – so trendy!
Erdbeer-Smoothies

Zutaten für 4 Drinks:

200 ml FANTA WILD BERRIES
300 g Erdbeeren
150 g Erdbeereis

Zubereitungszeit: 20 Minuten
Gefrierzeit: 1 Stunde

So wird's gemacht:

1. FANTA WILD BERRIES in einen Eiswürfelzubereiter geben und gefrieren lassen.
2. Die Erdbeeren waschen, entkelchen, in kleine Stücke schneiden und zusammen mit den Eiswürfeln und der Eiscreme in den Mixer geben. Alles mixen und sofort servieren.

Varianten

Ananas-Mango-Smoothies
200 ml FANTA MANDARINE gefrieren lassen und mit 100 g Ananas aus der Dose und dem Fruchtfleisch von 1 Mango sowie 150 g Vanilleeis pürieren. Frucht total gibt Zitronensorbet statt Vanilleeis.

Kiwi-Smoothies
200 ml FANTA LIMETTE mit 4 gewürfelten Kiwis und 150 g Zitronensorbet oder Vanilleeis pürieren.

Shake it, Baby, shake it!

Jogi-Shakes

Zutaten für je 4 Drinks:

Für Pfirsich-Mandarine-Shake:
250 g Joghurt
(am besten türkischer)
200 ml FANTA MANDARINE
1 kleine Dose Pfirsiche

Für Erdbeer-Shake:
250 g Joghurt
200 ml FANTA ORANGE
200 g Erdbeeren

Für Bananen-Shake:
250 g Joghurt
200 ml FANTA WILD BERRIES
150 g Bananen

Zubereitungszeit pro Shake:
5 Minuten
Gefrierzeit: 1 Stunde

So wird's gemacht:

1. Für jeden Shake die jeweilige Variante FANTA in einen Eiswürfelzubereiter geben und gefrieren lassen.
2. Alle Zutaten (gut gekühlt) zusammen mit den FANTA Eiswürfeln in einen Mixer geben und mixen, bis das Eis zerschlagen ist.
3. Die Jogi-Shakes in hohe Gläser füllen.

... rekordverdächtig!
Schon seit 1928 ist THE COCA-COLA COMPANY Sponsor der Olympischen Spiele. Aber auch die Logos der Fußball-Europa- und -Weltmeisterschaften, der National Football League, der National Basketball Association, der Tour de France zieren regelmäßig die COCA-COLA Dosen und Flaschen in aller Welt.

Cool and refreshing

Kiwi-Erdbeer-Bowle

Zutaten für 4 Drinks:

2 Kiwis
150 g Erdbeeren
1/2 l eisgekühlte FANTA ORANGE
1/2 l eisgekühlte SPRITE
2 Limetten
Zitronenmelisse

Zubereitungszeit: 15 Minuten

So wird's gemacht:

Eine Bowle für Ungeduldige:

1. Die Kiwis schälen, längs halbieren und in Scheiben schneiden. Die Erdbeeren waschen, putzen und vierteln.
2. Die Früchte in eine Karaffe geben und mit eisgekühlter FANTA ORANGE und SPRITE auffüllen.
3. Das Finish: Die Limetten auspressen und den Saft vorsichtig unterrühren.
4. Und die Zielgerade: Die Bowle in Longdrinkgläser gießen, mit Zitronenmelisse dekorieren und sofort servieren. Schneller geht's wirklich nicht, oder?

enjoy! your friend

Really exotic
Spinat-Kokos-Süppchen

So wird's gemacht:

1. Die Schalotte und den Knoblauch schälen und fein hacken. Das Öl in einem Topf erhitzen und beides darin andünsten.
2. Die Kokosraspel (bis auf 1 EL zum Anrichten) dazugeben und bei mittlerer Hitze kurz bräunen.
3. Dann die Kartoffeln schälen, in ca. 3 cm große Würfel schneiden und etwa 10 Minuten braten. Den Blattspinat waschen, putzen und abtropfen lassen. Den Spinat in den Topf geben und kurz mit anbraten.
4. Mit SPRITE ablöschen und mit der Kokosmilch und dem Hühnerfond auffüllen. Alles nochmal 10 Minuten köcheln lassen, dann mit dem Stabmixer pürieren.
5. Nun noch die Suppe mit Salz, Pfeffer, Curry und Muskat abschmecken und mit Kokosraspeln bestreuen – schon ist sie fertig.
6. Wer mag, setzt noch 1 Klecks Crème fraîche darauf.

Zutaten für 2 Personen:

1 Schalotte
1 Knoblauchzehe
1 TL Öl
40 g Kokosraspel
2 kleine Kartoffeln
250 g Blattspinat (frisch oder tiefgekühlt und aufgetaut)
80 ml SPRITE
200 ml ungesüßte Kokosmilch (1/2 Dose)
1/4 l Hühnerfond (aus dem Glas)
Salz, weißer Pfeffer
Currypulver, Muskatnuss
2 EL Crème fraîche nach Belieben

Zubereitungszeit: 25 Minuten

TIPP
Ganz anders, aber genauso lecker schmeckt diese Suppe, wenn man statt Blattspinat Brunnenkresse verwendet. Die kann man übrigens auch auf dem Balkon züchten – dauert gar nicht lang!

Quick 'n' easy
Krabben-Käse-Omelett

So wird's gemacht:

1. Gefrorene Krabben auftauen und abtropfen lassen.
2. Die Zwiebel schälen und in dünne Ringe schneiden. Die Kräuter waschen, trockentupfen und fein hacken. Zwiebel in zwei, Kräuter in drei Teile teilen (ein Drittel Kräuter zum Anrichten beiseite legen).
3. Eier und BONAQA SPARKLING mit dem Handrührgerät schaumig schlagen. Den Ei-Schaum salzen und pfeffern.
4. 1 TL Butter in einer beschichteten Pfanne erhitzen. Die Hälfte der Eiermasse in die Pfanne geben. Deckel drauf und das Omelett bei mittlerer Hitze 2–3 Minuten backen.
5. Eine Portion Zwiebeln und die Hälfte der Krabben dazugeben, ein Teil Kräuter und die Hälfte vom Käse darüber streuen und das Ganze noch einmal etwa 2 Minuten backen (bis die Masse oben fest wird).
6. Zu guter Letzt das Omelett zusammenklappen, auf einen Teller geben und ein paar frische Kräuter darüber streuen.
7. Anschließend das zweite Omelett genauso backen.

Lange haltbar!
Die erste Outdoor-Werbung von COCA-COLA wurde im Jahr 1894 auf eine Hauswand in Cartersville im US-Bundesstaat Georgia gemalt. Und es gibt sie heute noch!

Für den richtigen Biss
Crunchy Chicken

Zutaten für 2 Personen:

2 Hähnchenbrustfilets
1–2 EL Butter
Salz, Pfeffer
1 kleine Zwiebel
1 kleine Knoblauchzehe
1–2 EL Pflanzencreme oder
ein anderes Bratfett
2 EL Erdnussbutter
200 ml COCA-COLA
2 EL Limettensaft oder
Zitronensaft
25 g gehackte Erdnüsse
(geröstet, ungesalzen)
1 EL frisch gehackte Petersilie

Zubereitungszeit: 35 Minuten

So wird's gemacht:

1. Die Hähnchenbrustfilets waschen und trockentupfen.
2. Die Butter in der Pfanne erhitzen und die Filets von jeder Seite scharf anbraten. Anschließend 10–15 Minuten bei mittlerer Hitze braten, dann salzen und pfeffern.
3. Inzwischen die Zwiebel und den Knoblauch schälen. Zwiebel fein hacken, Knoblauch pressen und beides in einer zweiten Pfanne in Pflanzencreme scharf anbraten.
4. Jetzt die Erdnussbutter dazugeben, glatt rühren und mit etwas COCA-COLA ablöschen. Nach und nach die restliche Menge COCA-COLA und den Limettensaft einrühren.
5. Bleibt nur noch, die Erdnüsse zu hacken und mit der Petersilie zur Sauce zu geben. Als Beilage passen Zuckerschoten (siehe Tipp).

TIPP
1/4 l SPRITE zum Kochen bringen, 80 g Zuckerschoten hineingeben und in 6–8 Minuten blanchieren, also nur kurz garen. Anschließend die Zuckerschoten abgießen und kalt abschrecken.

Das macht fidel...
Schnitzel Cuba Libre

Zutaten für 2 Personen:

Für die Schnitzel:
50 ml brauner Rum
50 ml COCA-COLA
2 EL Olivenöl
1 Knoblauchzehe
Salz, Pfeffer
300 g Schweineschnitzel
(dünn geschnitten)
Öl zum Braten
1 EL kalte Butter

Für den Salat:
4 Scheiben Ananas (aus der Dose)
50 ml SPRITE
1 kleine weiße Zwiebel
je 1/2 gelbe und rote Paprikaschote
6 getrocknete, eingelegte Tomaten
1 kleine eingelegte Chilischote
Salz, Pfeffer
2 EL Petersilienblätter
Zubereitungszeit: 45 Minuten

So wird's gemacht:

1. Für die Marinade den Rum, COCA-COLA und das Olivenöl verrühren. Geschälten Knoblauch dazupressen, mit Salz und Pfeffer würzen.
2. Als Nächstes das Fleisch klopfen, die Schnitzel halbieren und für 30 Minuten in die Marinade legen.
3. Inzwischen für den Salat Ananas abtropfen lassen, würfeln und in SPRITE 15 Minuten ziehen lassen.
4. Die Zwiebel schälen, Paprika waschen, putzen und mit der Zwiebel fein würfeln. Die eingelegten Tomaten in kurze Streifen schneiden. Die Chilischote hacken. Den Salat mit Chilischote, Salz und Pfeffer abschmecken. Petersilie grob zupfen und zu dem Salat geben.
5. In einer Pfanne wenig Öl erhitzen und das Fleisch von jeder Seite bei mittlerer Hitze 1–2 Minuten braten, dann salzen und pfeffern. Die fertigen Schnitzel warm stellen.
6. Die Marinade zu dem Bratenfond geben, etwas einkochen lassen. Kalte Butter dazurühren, nicht mehr kochen.
7. Die Ananas erst kurz vor dem Servieren mit den anderen Salatzutaten mischen und die Salatsauce darüber gießen.
8. Den Salat zusammen mit den Schnitzeln auf zwei Teller verteilen und servieren.

Ein Träubchen fürs Täubchen
Putenbrust mit Trauben

So wird's gemacht:

1. Die Putenbrustfilets abwaschen und trockentupfen. In einer tiefen Pfanne das Olivenöl erhitzen. Die Filets darin von beiden Seiten scharf anbraten und mit Salz und Pfeffer würzen.
2. Den Frühstücksbacon würfeln. Die Frühlingszwiebeln putzen, klein schneiden. Beides kurz mit den Filets braten. Mit Wein und SPRITE ablöschen, die Hitze reduzieren.
3. Die Möhren schälen und in dünne Stifte schneiden. Sie wandern ebenfalls zu Geflügel und Bacon in die Pfanne. Salzen und pfeffern, aufkochen lassen und dann bei mittlerer Hitze zugedeckt 5–10 Minuten garen. Dabei so nach und nach den Fond dazugeben. Nicht zu lange schmurgeln lassen, denn die Möhren sollen schön knackig bleiben.
4. Die Trauben waschen, halbieren und eventuell entkernen. Kurz mitgaren lassen und das Gericht nochmal mit Salz und Pfeffer abschmecken.
5. Den Kerbel waschen, trockentupfen, fein hacken und als letzte Tat vor dem Servieren zu dem Gericht geben.

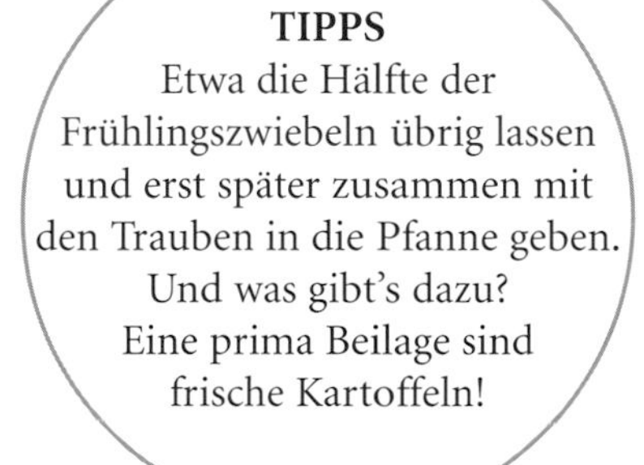

TIPPS
Etwa die Hälfte der Frühlingszwiebeln übrig lassen und erst später zusammen mit den Trauben in die Pfanne geben.
Und was gibt's dazu?
Eine prima Beilage sind frische Kartoffeln!

So leicht – so frisch – so Fisch!
Schollenfilets in Zitronen-Senf-Sauce

So wird's gemacht:

Zuerst die Schollenfilets für die Pfanne vorbereiten:

1. Die Filets mit kaltem Wasser abspülen und mit Küchenpapier trockentupfen. Dann salzen, pfeffern und mit reichlich Zitronensaft beträufeln.
2. Butter in der Pfanne erhitzen und die Schollenfilets darin von beiden Seiten goldbraun braten. Dann aus der Pfanne nehmen und warm stellen.

Denn jetzt wird die Sauce veredelt:

1. SPRITE zum Fischfond geben und erwärmen, Crème fraîche und Senf unterrühren, mit Salz und Pfeffer abschmecken. Dann den Safran einrühren.
2. Zuletzt den Fond mit dem Saucenbinder ein wenig andicken. Bleibt nur noch, grob gehackten Kerbel als würzige Deko einzustreuen. Dazu passen am besten farbige Bandnudeln in Grün, Rot und Weiß.

Eins nach dem Andern

Fisch-Garnelen-Spieße mit Mango

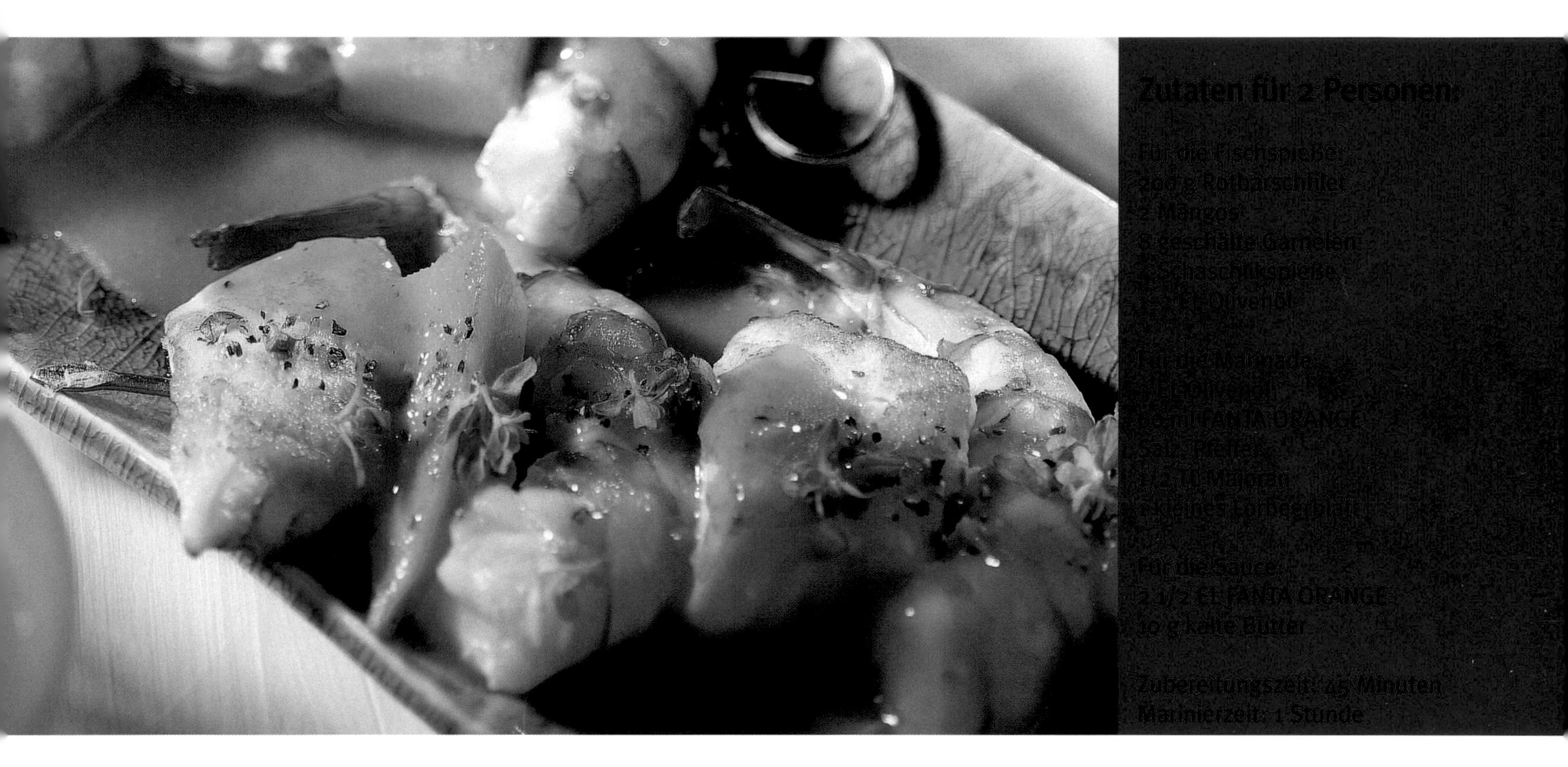

Zutaten für 2 Personen:

Für die Fischspieße:
200 g Rotbarschfilet
2 Mangos
8 geschälte Garnelen
4 Schaschlikspieße
1–2 EL Olivenöl

Für die Marinade:
[illegible] EL Olivenöl
[illegible] ml FANTA ORANGE
Salz, Pfeffer
1/2 TL Majoran
1 kleines Lorbeerblatt

Für die Sauce:
2 1/2 EL FANTA ORANGE
10 g kalte Butter

Zubereitungszeit: 45 Minuten
Marinierzeit: 1 Stunde

So wird's gemacht:

1. Das Fischfilet waschen, abtupfen und in Würfel schneiden (tiefgekühltes Fischfilet nur etwas antauen lassen und dann in Würfel schneiden, das geht einfacher). Die Mangos schälen und ebenfalls würfeln. Fisch, Garnelen und Obst abwechselnd auf 4 Holzspieße aufreihen.
2. Als Nächstes ist die Marinade dran: Das Olivenöl, FANTA ORANGE, Salz, Pfeffer und Majoran verrühren, das Lorbeerblatt dazugeben. Darin die Spieße 1 Stunde ziehen lassen.
3. Und jetzt der Endspurt: Das Olivenöl in der Pfanne erhitzen und die Fischspieße darin scharf anbraten. Dann bei mittlerer Hitze 12–15 Minuten weitergaren. Die fertigen Spieße aus der Pfanne nehmen und warm stellen.
4. Aus dem Bratensatz entsteht eine edle Sauce: FANTA ORANGE und die restliche Marinade dazugeben und leicht einkochen lassen. Zu guter Letzt die Butter hinzufügen.
5. Die Spieße auf dem Teller zusammen mit der Sauce anrichten. Dazu passen Bandnudeln.

A dream comes true
Karamellgarnelen mit Tomaten

So wird's gemacht:

1. Die Schalotte und den Knoblauch schälen. Die Schalotte fein würfeln, den Knoblauch pressen.
2. Das Öl in einer tiefen Pfanne ganz heiß werden lassen. Schalotte und Knoblauch darin bei mittlerer Hitze unter Rühren goldgelb brutzeln.
3. Jetzt kommen auch die Garnelen, der Pfeffer und das Chiliöl dazu. Alles kurz anbraten.
4. Der Clou: COCA-COLA esslöffelweise in die Pfanne geben und garen, bis die Flüssigkeit verdampft ist.
5. Die Kirschtomaten waschen und halbieren. Auch die Frühlingszwiebeln waschen, in 2 cm lange Stücke schneiden und mit den Tomaten in die Pfanne geben. Das Ganze eine weitere Minute braten. Dann schön heiß auf den Teller damit!

TIPP
Dazu passen prima
ein paar Scheiben Baguette
oder Ciabatta, die man
vorher im Backofen kurz
aufgebacken hat.

Lange lecker, fruchtig frisch
Gebackene Bananen mit Erdbeermus

So wird's gemacht:

Dieses Dessert ist ganz fix zubereitet. Zuerst das Mus:
1. Die Erdbeeren waschen, abtupfen und putzen. Die Früchte vierteln und zusammen mit 1 kleinen Banane, dem Honig und FANTA MANDARINE pürieren. Fertig!

Nun die Bananen:
1. Die 2 Bananen schälen und je einmal längs und einmal quer schneiden. Die Viertel mit FANTA FRESH LEMON beträufeln.
2. Die Butter in einer Pfanne aufschäumen lassen und die Bananenviertel darin goldbraun anbraten.
3. Die gebackenen Bananen auf zwei Tellern verteilen und ihnen zu einer Begegnung mit dem Erdbeermus verhelfen.

TIPP
Ein paar kleine Pfefferminzblätter sind nicht nur hübsche Deko, sondern bieten auch einen coolen Kontrast für die Geschmacksnerven.

Give me more!
Nektarinen mit Orangensauce

So wird's gemacht:

1. Die Nektarinen waschen und in dünne Scheiben schneiden.
2. Die Butter in einer beschichteten Pfanne schmelzen und darin die Nektarinen bei mittlerer Hitze 2–3 Minuten braten. Aus der Pfanne nehmen.
3. Zu dem Bratfond in der Pfanne FANTA ORANGE und Zimt geben, verrühren und leicht einkochen lassen.
4. Dann die Nektarinen ringförmig auf zwei Tellern verteilen, je 1 Kugel Eis in die Mitte setzen und die Sauce über die Nektarinen verteilen.
5. Die Kokosflocken in einer Pfanne (ohne Fett) leicht rösten und als Tüpfelchen auf dem "i" über das Dessert streuen.

Dream of an Island in the sun
Limetten-Kokos-Parfait

So wird's gemacht:

Das Parfait braucht viel Zeit:

1. FANTA LIMETTE mit dem Zucker verrühren, aufkochen und etwas einkochen lassen. Das Ganze abkühlen lassen.
2. Die 3 Eigelbe schaumig aufschlagen. Den Zuckersirup zu den Eigelben geben. Limettensaft und -schale dazugeben. Die Kokosmilch, die Sahne und den Kokoslikör unterrühren.
3. Eine kleine Kastenform einfetten und mit Klarsichtfolie auskleiden. Die Masse in die Form füllen und für 6 Stunden ins Tiefkühlgerät stellen.

Dafür geht die Sauce ganz schnell:

1. FANTA LIMETTE zusammen mit dem Limettensaft und der -schale aufkochen und etwas einkochen lassen.

Und zum Schluss:

1. Die Kokosflocken in der Pfanne (ohne Fett!) goldbraun werden lassen.
2. Das Parfait auf zwei Desserttellern verteilen und mit der Sauce, den Johannisbeeren und den gerösteten Kokosflocken dekorieren.

Das Auge isst mit!
Orangengelee auf Vanille-Minz-Sauce

So wird's gemacht:

Das Gelee kommt zuerst dran:

1. Die Gelatine 5 Minuten in kaltem Wasser einweichen, dann leicht ausdrücken.
2. Anschließend die Gelatine in einem kleinen Topf zusammen mit dem Zitronensaft unter Rühren langsam erhitzen. FANTA ORANGE dazugeben und verrühren.
3. Das Ganze in eine Glasschüssel geben und über Nacht im Kühlschrank stehen lassen.

Nach dem Kühlen die Sauce:

1. Einen Teil der Pfefferminzblätter in feine Streifen schneiden. Die Vanilleschote halbieren und das Mark herauskratzen.
2. FANTA ORANGE und das Vanillemark mit dem Joghurt mischen.
3. Auf zwei Tellern einen Saucenspiegel verteilen. Das Gelee portionsweise darauf anrichten und mit Himbeeren und Pfefferminzblättchen dekorieren.

TIPPS
Noch edler präsentiert sich dies Dessert, wenn man das Gelee zum Kühlen portionsweise in kleine Formen füllt.

Wenn der Blues kommt...
Yellow Blues

So wird's gemacht:

1. Alle Zutaten mit den Eiswürfeln im Shaker verschütteln.
2. Den Yellow Blues auf 2 Longdrinkgläser verteilen und mit Cava aufgießen. Als Deko passen Obstspießchen und Zitronenmelisse gut.

Macht munter!
Strawberry fresh up

Zutaten für 2 Drinks

4 cl Limettensaft
8 Erdbeeren
8 cl FANTA MANDARINE
4 Eiswürfel
Prosecco zum Auffüllen

Zubereitungszeit: 5 Minuten

So wird's gemacht:

1. Alle Zutaten im Mixer mit Eiswürfeln verschütteln.
2. Strawberry fresh up auf 2 Longdrinkgläser verteilen und mit Prosecco aufgießen. Mit Erdbeeren und Zitronenscheiben dekorieren.

Sweet memories!

Bereits 1886 begann Dr. John Styth Pemberton, der Erfinder von COCA-COLA, sein Produkt in Zeitungen, auf Plakaten und Handzetteln zu bewerben.
Seit 1929 gibt's auch in Deutschland Werbung für COCA-COLA.
Und hier sind alle Slogans!
Zunächst waren sie stark an das US-Original angelehnt. In den revolutionären 60ern gingen die deutschsprachigen Marketingstrategen dann auch mal ganz eigene Wege. Seit Mitte der 80er findet der werbedurstige COKE Fan aber »seine« COCA-COLA Botschaft nahezu in jedem Land der Welt wieder ...

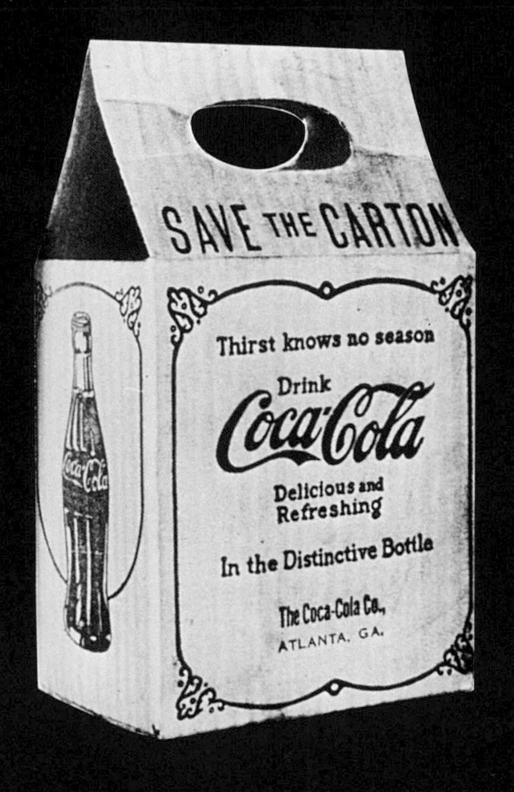

Six-Pack, 1923

TRINK
Coca-Cola
KÖSTLICH u. ERFRISCHEND

TRINK
Coca-Cola
Durst
kennt keine Jahreszeit

Mach
mal
Pause
Coca-Cola
auch
zu Hause

Besser geht's mit Coca-Cola
Erfrischungstip 1969

Coca-Cola

TRINK
Coca-Cola
... das erfrischt richtig

Coke macht mehr draus

Coca-Cola
...Zeit für Coca-Cola.

Coke
Coke is it!

Coca-Cola
Coke

YOU CAN'T BEAT THE FEELING

ALWAYS ROCK

ALWAYS Coca-Cola

PROBIER WAS NEUES:

UND COKE BEI 3°C

Coca-Cola

COCA-COLA Slogans!

1929	Köstlich - erfrischend
1935	Durst kennt keine Jahreszeit
1955	Mach mal Pause – trink COCA-COLA
1962	... auch eine!
1968	Besser geht's mit COCA-COLA, mach mal Pause mit COCA-COLA
1970	Frischwärts
1974	Trink COCA-COLA ... das erfrischt richtig!
1976	COKE macht mehr draus
1981	... Zeit für COCA-COLA
1985	COCA-COLA is it!
1989	You can't beat the feeling!
1993	Always COCA-COLA
2000	COCA-COLA enjoy/Probier was Neues. Und COKE bei 3°C.

History of the myth

1886: John S. Pemberton, ein Apotheker aus Atlanta, erfindet ein medizinisches Getränk, das gegen Kopfschmerzen und Schwächezustände helfen und zugleich gut und erfrischend schmecken soll. COCA-COLA nennt er den braunen Sirup, den er mit Sodawasser zum Perlen bringt.

1887: Pembertons Buchhalter, Frank M. Robinson, gestaltet den noch heute für COCA-COLA typischen, geschwungenen Jugendstil-Schriftzug.

1888: Die neue Limonade erfreut sich auch in den Südstaaten großer Beliebtheit. Ein cleverer Geschäftsmann namens Asa Chandler übernimmt für 2.300 Dollar die kleine Fabrik und startet erste Maßnahmen in Sachen Werbung und Verkaufsförderung.

1892: Chandler gründet in Atlanta THE COCA-COLA COMPANY – mit einem Startkapital von 100.000 Dollar.

1895: COCA-COLA goes nationwide – in allen US-Bundesstaaten kann man sich jetzt mit COCA-COLA erfrischen. 5 Cent kostet das Glas in den Drugstores und ist an so genannten “Soda Fountains” erhältlich.

1896: Rauf aufs Schiff: Auch in Kanada und Mexiko sowie auf Kuba und Hawaii hält das Erfrischungsgetränk Einzug.

1905: Chandler füllt COCA-COLA erstmals in Flaschen ab, die mit einem Kronkorken verschlossen sind.

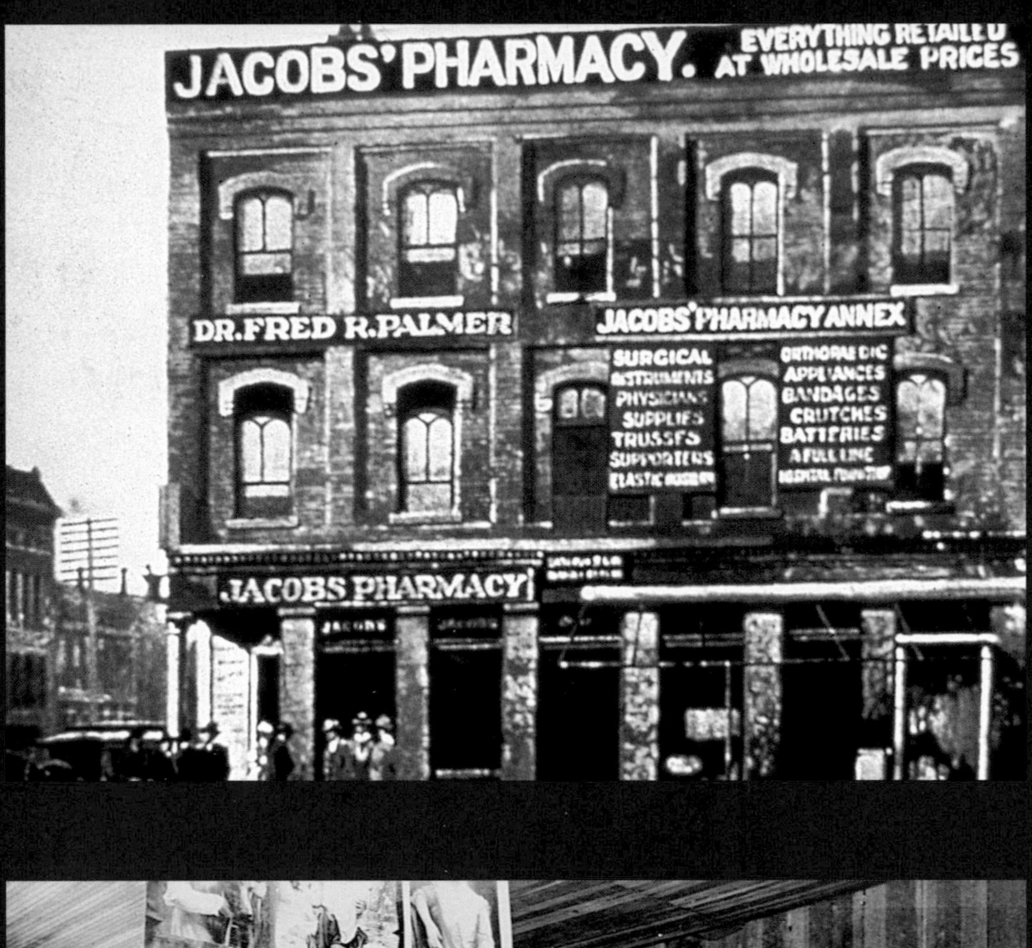

Jacobs' Pharmacy, Atlanta, im Jahr 1886

COCA-COLA Abfüllanlage Ende 1900 in den USA

Mach
mal
Pause
TRINK
Coca-Cola
SCHUTZMARKE
... das ist immer bekömmlich !

1916: A Star is born! In der Glasmanufaktur Root Glass Company wird das Design der legendären Flaschenform entworfen. Als Trademark geschützt wird die Schönheit namens »Georgia Green« allerdings erst ganze 44 Jahre später.

1919: Familie Chandler verkauft THE COCA-COLA COMPANY für 25 Millionen Dollar an ein Bankenkonsortium in Atlanta.

1928: »Bring the Coke home« lautet das Motto der US-Werbekampagne. Mit Erfolg: Die Amerikaner leeren mehr COCA-COLA Flaschen zu Hause als an den Soda Fountains. Im Sommer ist COCA-COLA in Amsterdam erstmals das »Offizielle Erfrischungsgetränk der Olympischen Spiele«.

1929: Auch die Deutschen lassen sich jetzt von COCA-COLA erfrischen – am 8. April wird die erste Flasche des amerikanischen Kultgetränks in Essen abgefüllt.

1930: Wieder entwickelt das Headquarter in Atlanta eine sensationelle Neuheit: Die ersten COCA-COLA Getränkeautomaten werden aufgestellt.

1931: Der schwedisch-amerikanische Zeichner Haddon Sundblom gibt Santa Claus das typische COCA-COLA Aussehen.

1940: Die Rohstoffe für die Produktion in Deutschland werden knapp. Doch die COCA-COLA Spezialisten in Essen machen aus der Not eine Tugend und entwickeln ein neues Getränk, diesmal auf der Basis von Molke: FANTA is born.

1941: Die Produktion von COCA-COLA in Deutschland muss eingestellt werden. FANTA gibt's weiterhin, deutsche Hausfrauen nutzen es als Erfrischungsgetränk, und auch als Süßungsmittel beim Kochen.

1949: Ab dem 3. Oktober läuft die Produktion in Deutschland wieder an, begleitet von der begeistert aufgenommenen Kampagne »COCA-COLA ist wieder da!«

1954: Die ersten Flaschen-Kühlautomaten werden aufgestellt.

1957: COCA-COLA gibt's jetzt auch an Autobahn-Raststätten. Und im VW-Werk in Wolfsburg läuft und läuft und läuft nicht nur der Käfer vom Band, sondern erstmals auch COCA-COLA den Werksangehörigen erfrischend die Kehle runter und runter ...

1963: Deutschland-Premiere für die erste COKE in der Dose.

1968: Manche lieben's klar und zitrusfrisch: SPRITE heißt die neue erfolgreiche Marke aus dem Hause COCA-COLA.

1973: Und weitere Sorten stehen ins Haus: LIFT, die Limonade mit Zitronensaft, und MEZZO-MIX, die bayerische Mischung aus COCA-COLA und Orangenlimonade, kommen auf den Markt.

1982: Darf's ein bisschen weniger sein? Der Fitness-Trend erobert die Welt, Hand in Hand mit DIET COKE. Ein Jahr später begeistert COCA-COLA LIGHT auch Deutschlands Figurbewusste. Kurz darauf gibt es auch COCA-COLA KOFFEINFREI.

BRUNO CORA-TEE
per la
JOSEPH BEUYS
LOTTA CONTINUA VERA
NOME E BOTT. MARCHI

Finale der COCA-COLA Weihnachtstour, Berlin [illegible]

1985: Ein Raunen geht durch Nord-Amerika – hat man in Atlanta doch beschlossen, den originalen Geschmack von COCA-COLA zu »modernisieren«. Die Nation beruhigt sich erst wieder, als THE COCA-COLA COMPANY bekannt gibt, dass neben „NEW COKE“ weiterhin COCA-COLA CLASSIC angeboten wird. Und im gleichen Jahr hebt COCA-COLA ab! Denn nun können sich, dank eines ausgeklügelten Verschluss-Systems der COCA-COLA Techniker, auch die Besatzungsmitglieder der Space Shuttles im All kultig erfrischen.

1986: Die Astronauten prosten aus dem Weltraum auch Atlanta zu, als die Feiern anlässlich des 100. Geburtstages von COCA-COLA beginnen...
Und »Mit COCA-COLA ist gut Kirschen trinken«: CHERRY COKE begeistert trendige Teens in bunten Dosen.

1988: Klare Sache! BONAQA, das Tafelwasser aus dem Hause COCA-COLA, wird in Deutschland präsentiert.

1990: Unkaputtbar – die 1,5-l-PET-Flasche tritt ihren Mehrweg-Weg durch die deutschen Lande an. Und gewinnt einen Recycling-Preis nach dem anderen.

1996: Abermals bekommt COCA-COLA Familienzuwachs – KINLEY heißen die neuen herben Softdrinks für Erwachsene.

2000: COCA-COLA enjoy! Der Genuss geht weiter mit der Aufforderung „Probier was Neues. Und COKE bei 3°C“.

COCA-COLA Gläser
des 20. Jahrhunderts

links:
"Santa Claus"
von 1957

rechts:
Werbekampagne
"Things go better
with COKE" aus
den Jahren
196[illegible]–196[illegible]

links Mitte:
Werbeplakat
1998/99

unten links:
Kartonplakat von
1936

rechts:
Plakat von [illegible]
(Herbert Leupin)

Register

Impressum

Redaktion und Texte: Catharina Wilhelm
Lektorat: Adelheid Schmidt-Thomé
Rezepte: Ute Meyer, MasterMedia Köln
Layout, Umschlaggestaltung und Satz: Bianca Locker, werk3 graphic design, München
Projektleitung COCA-COLA Essen: Petra von Brachel
Herstellung: Petra Roth
Redaktionsassistenz: Tanja von Nayhauss
Fotografie: Thomas Diercks, Hamburg
Foodstyling: Maik Schacht
Styling: Imke Fischer
Requisite: Christine Mähler
Models: Franziska Riegamer-Herpel, Silvia Wille, Volker Hirschfeld, Pascal Schnabel
Reproduktion: Repro Schmidt/Dornbirn/Austria
Druck und Bindung: Appl, Wemding
Alle Bildrechte: COCA-COLA GmbH Essen
ISBN 3-7742-22630
Auflage: 3. 2. 1.
Jahr: 03 02 01

Für die Richtigkeit der im Buch genannten Angaben zum Unternehmen wird keine Gewähr übernommen und die Haftung ausdrücklich ausgenommen.

Das Original mit Garantie

Unsere Garantie: Sollte ein GU-Ratgeber einmal einen Fehler enthalten, schicken Sie uns bitte das Buch mit einem kleinen Hinweis und der Quittung innerhalb von sechs Monaten nach dem Kauf zurück. Wir tauschen Ihnen den GU-Ratgeber gegen einen anderen zum gleichen oder ähnlichen Thema um.

Ihr Gräfe und Unzer Verlag
Redaktion Kochen
Postfach 86 03 25
81630 München
Fax: 089/41981-113
e-mail: leserservice@graefe-und-unzer.de

Wenn Sie Fragen oder Anregungen haben, dann können Sie sich selbstverständlich auch direkt an unseren Partner wenden. Rufen Sie einfach an oder schreiben Sie an:

COCA-COLA GmbH
Abt. Öffentlichkeitsarbeit
Max-Keith-Straße 66
D-45136 Essen
Telefon ++49 (0)201 - 821 14 18